Alun yr Arth a'r Tân Mawr

stori a lluniau gan

Morgan Tomos

y Lolfa

i Owain Siôn
diolch i Sonia

Cyfres Alun yr Arth, rhif 11

Argraffiad cyntaf: 2009

Dymuna'r cyhoeddwyr gydnabod cymorth ariannol Cyngor Llyfrau Cymru

ISBN: 9781847711922

Cyhoeddwyd ac argraffwyd yng Nghymru gan:
Y Lolfa Cyf., Talybont, Ceredigion SY24 5HE
e-bost ylolfa@ylolfa.com
www.ylolfa.com
ffôn +44 (0)1970 832 304
ffacs 832 782

Un diwrnod daeth aelod o'r frigâd dân i'r ysgol i sôn am ddiogelwch.

Roedd y plant i gyd wrth eu bodd, yn enwedig Alun yr Arth.

Roedd Alun wrth ei fodd yn ysgrifennu'r rheolau:

DIM CHWARAE GYDA THÂN.
DIM CHWARAE GYDA MATSIS NEU UNRHYW BETH SY'N GALLU ACHOSI TÂN.
DIM CEISIO DIFFODD TÂN.
FFONIO 999 BOB TRO A GOFYN AM Y FRIGÂD DÂN.

Ond...

... FRRRWWWWWWWWWWWWWM!

Pan ddaeth tro Alun i fynd i mewn i’r injan dân, neidiodd yr injan yn ei blaen, ar ddamwain.

CRASH!!!

Aeth trwyn yr injan i mewn i’r wal.

“O, diar,” meddai Alun.

"Beth oedd ar dy ben di'n cychwyn yr injan?" mynnodd y dyn tân.
"Mae'n ddrwg gen i," meddai Alun. "Damwain oedd hi."

Roedd Alun yn drist ei fod wedi achosi damwain. O hyn ymlaen, roedd o am helpu'r frigâd dân.

"Ble mae'r matsis, Alun?" gofynnodd Mam, wrth baratoi swper un noson.
"Mae matsis yn beryglus," atebodd Alun. "Dwi wedi taflu'r matsis i'r bin sbwriel."

"Be?" bloeddiodd Dad. "Dwi eisiau swper poeth!"

BÎP! BÎP! BÎP!

"O, na!" meddai Dad. "Mae Alun wedi rhoi'r larwm mwg uwchben y peiriant gwneud tost. Dwi eisiau tost poeth i frecwast heb rhyw sŵn mawr gwirion!!"

"Ble mae'r papur tŷ bach?" gwaeddodd Dad.
"Dad, mae papur yn gallu mynd ar dân ac mae hynny'n beryglus," atebodd Alun.

"Tyrd â'r papur tŷ bach yn ôl, y funud yma!!"
Roedd Dad wedi gwylltio'n gacwn.

"Mae bod yn ddiogel gyda tân yn beth pwysig," meddai Mam. "Ond, Alun, paid â mynd dros ben llestri."

"Ond mae matsis yn beryglus, Mam," atebodd Alun.

"Mae hynny'n berffaith wir. Paid â chyffwrdd â matsis am unrhyw reswm o gwbl," rhybuddiodd Mam. "Dyna'r peth callaf."

“Ia!” dwrdiodd Dad. “Rhaid bod yn gall!
Dwi am fynd i’r ardd i wneud barbeciw
a dydw i ddim eisiau unrhyw
hen lol gen ti!”

Ond doedd Dad ddim yn gall gyda'r hylif cynnau tân. "Rhaid cael digon o hylif i wneud tân a fflamau mawr i goginio bwyd poeth."

“Na, Dad!” rhybuddiodd Alun. “Mae hynny’n beryglus.”

“O, bydd ddistaw, Alun,” atebodd Dad wrth gynnau’r barbeciw.

WWWWWWWWWWWWWWWWWSH!!

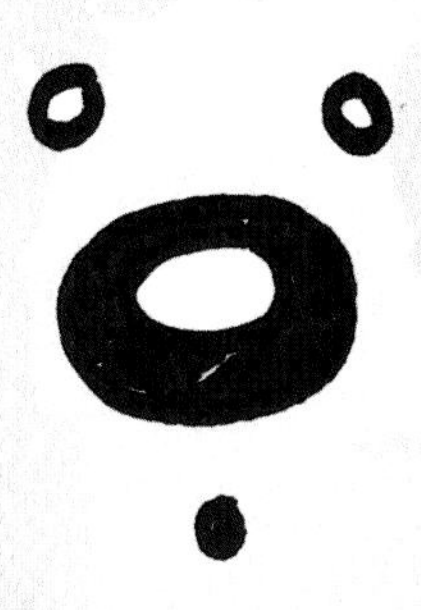

Ffrwydrodd y barbeciw yn wyneb Dad.

"AAAAAAAAWWWWWWWWWWWWWW!"

Disgynnodd Dad yn ôl a chamu ar y botel hylif cynnau tân. Saethodd yr hylif allan, syrthiodd y barbeciw ac, yn sydyn, roedd yr ardd gyfan ar dân.

Aeth Mam i nôl bwced o ddŵr oer, glân iddo, rhag i'w drwyn losgi.

Roedd Alun yr Arth yn cofio'n iawn beth i'w wneud.

999

Gofynnodd Alun am y frigâd dân gan roi ei enw'n llawn a'r cyfeiriad ble roedd yn byw.

Wiw-Wiw-Wiw-Wiw-Wiw-Wiw

Cyrhaeddodd y frigâd dân ar frys ac…

... ymhen dim roedd Owain, Huw a Bethan wedi diffodd y tân mawr yn yr ardd. Roedd Alun wrth ei fodd yn gweld y frigâd dân wrth ei gwaith.

"Mae Alun yr Arth yn fachgen call iawn," meddai Owain, y dyn tân.

Roedd Alun yn falch o gael clod ond yn drist iawn o weld Dad wedi brifo.

"Oes rhywun eisiau bwyd?" gofynnodd Mam.

"Yyy... Na, dim diolch," meddai pawb.
Roedd y bwyd wedi llosgi'n ulw gols.

Am ei fod yn arth mor dda, cafodd Alun fynd am dro yn yr injan dân.

“Na, nid ar y cefn, Alun!” gwaeddodd y gyrrwr.